Madame
Poipoi

Monsieur
Henri

Gino
Marto

Rémi
Lepoivre

Adrien
Dubouchon

Mélanie
Lano

Tom-Tom et Nana

Au zoo, les zozos!

Scénario : Jacqueline Cohen, Evelyne Reberg
Dessins : Bernadette Després - Couleurs : Catherine Viansson-Ponté

A LA BONNE FOURCHETTE

Marie-Lou
Dubouchon

Yvonne
Dubouchon

Nana
Dubouchon

Tom-Tom
Dubouchon

Onzième édition, novembre 2009
© Bayard Éditions, 2001
© Bayard Éditions / *J'aime Lire*, 1999
ISBN : 978-2-7470-1402-1
Dépôt légal : janvier 2004
Droits de reproduction réservés pour tous pays
Toute reproduction, même partielle, interdite
Imprimé en France par Pollina - L66742F
Tom-Tom et Nana sont des personnages créés par
J. Cohen, E. Reberg, B. Després et C. Viansson-Ponté

Monstre d'avril

Tu veux qu'on ait un million de lignes à copier? Qu'on soit privés de récré jusqu'à la fin de nos jours?

Bande d'idiots! On est le 1er avril....

Ça nous fera une méga giga farce!

? ?!

Imagine un peu! Vorax le premier de la classe...

Ah...

La tête du maître!

Ouais! Super!

255.3

Ça va, elle n'y verra que du feu !

Prenez l'air naturel !

?

Bonjour madame !

??

Hé ! Qui c'est ce zozo ?

Euh... C'est un nouveau !

Il... il a la trouille !

Il se sent mal !

On l'emmène à l'infirmerie !

Hum, hum ! Pauvre chou !

Faut le déshabiller !!

NOOON !

255-5

9

Aaah!! Encore cette horreur de Vorax!

Les autocollants, les badges, les images, ça ne vous suffit pas?

Dehors!! C'est une école ici, pas un cinéma!

Et ne laissez pas ce machin traîner sur le trottoir, compris?

Oui, oui...

Pas la peine de s'énerver!

255-6

11

Casse-lui le cou!

J'y arrive pas! Ça résiste!

Tire!

Arrache-lui la jambe!

?!?

Tords-lui les bras!!

A glagla... C'est un meu... meurtrie!

Ecrase-lui la tête!

Appelez la ppo... po... lice...

Cogne plus fort!

Aïe! Il m'a griffé!!

Oooooh...

BONG! BONG!

Mort et enterré, le Vorax! On n'en parle plus!

Je l'ai déjà oublié!

??

13

255-9

Folle fête, mamounette !

17

(256-3)

Dix lettres plus tard...

Fais un effort !

Tu mets n'importe quoi !

J'en ai assez de ce cirque !

Bon, ça peut aller !

Sauf que...

Le papier blanc, c'est moche !

Grrrr !

Tu peux recopier sur du rose ?

Ça suffit ! Faites-le vous-mêmes !

CRAC !

Tant pis, on va l'offrir comme ça !

C'est pas si mal !

Et votre promesse ?!?

Ah oui !...

C'est vrai !

23

(256-9)

La sauce à papa

Mon père, c'est le plus grand chef cuisinier du monde!

Cette casserole contient un trésor!

La sauce à papa!!

Ce...Ce machin visqueux?

SILENCE!

On va tous goûter!

T'es fou!!

On n'a pas le droit! Juste une goutte!

253-2

26

29

(253-5)

Je vais la réchauffer et vous allez goûter!

!!!!!

Mmm... ça manque un peu de sel!

Hep, Tom-Tom! Laisse cette casserole!!

Donne! C'est à moi!

Belle et Jolie

Mais... qu'est-ce que c'est?

Ah, ah! Devinez!...

(253-9)

33

S.O.S. bébêtes

37

257-3

257.4

(257-5)

Y en a même deux...

Oh! Un troisième!

Grrr...

Pour les chats rayés, c'est ici?

Mais oui!

Ça alors!

J'en ai trouvé trois!

Pas possible!!!

Mais...

?!?

Miaou!

Miaou!

KRSSSS!

Miiiaou!

257-6

40

257-7

Hein ?!? Quoi ?!... Vous 'êtes toqué !...

... C'est mon châle rayé que j'ai perdu !...

Bande d'idiots ! Elle n'a pas de chat, madame Mochu !!!

CLAC !

Euh... pourtant je... j'ai entendu... euh...

Déguerpissez ! Tous dehors !

Ah non !

Et notre goûter ?

257-8

257.9

Le code bonbon

3-97 2

46

Zut, zut ! J'ai oublié mon code !!

C'était deux chiffres pareils...

Tes dernières notes de contrôle, peut-être ?

Tu sais ! Zéro en dictée et zéro en calcul ! Idiote !

Et si c'était 2 et 2 ? Pourquoi deux ? Comme les trous de tes chaussettes !

Attends... Mon code, je l'ai confié à une personne, une seule !

Rémi ! Viens, c'est hyper urgent !!

(3-97) 3

Cinq minutes après... Voilà mon sauveur!

??

Toi, au coin! Et bouche-toi les oreilles!

Pch... Pch... Pch... le code secret...

Pas de problème! Je l'ai écrit sous ma semelle!

Banque à bonbons

Zut! Il a plu, ça s'est effacé!

Espèce de NUL!

Rassure-toi... je l'ai dit à Fatiah!

Quoi?!? À une fille!!

Mon code confidentiel!

Je vais te tuer!!

Mêêêê... Y a qu'à lui demander!

Elle est au square!

Vite, vite! Allons-y!

Je viens avec vous?

Non! Tu restes, tu surveilles le coffre!...

Au cas où il y aurait un voleur!

Fatiah!

Le code secret!

49

Le code... euh... 3, 3 ... non !
4, 4, 4, 4 ...

Arrête ! On dirait une poule !

Ça y est ! Je me souviens !

ZIIIIIIIIP !

Je l'ai marqué sur un papier et je l'ai caché...

PLOOUUF !

Dans ma culotte !

Mais... euh...

Mais quoi ?!

53

(3-97) 9

Oh, la honte !

Vite, cachons-nous!

Mes crapoutous!....

Tu entends ça?

Oh, la honte!

Hi! Hi! Y a votre tante qui cherche ses crapoutous!

Chchut!

On n'est pas là!

On est des fantômes!

?!?

Oh... Elle distribue des trucs!

C'est sûrement débile!

254.2

(254-3)

254. 4

Tom-Tom et Nana : Au zoo, les zozos

59

(254.5)

254-6

254.7

... Tantouillette adorée!

Bisou! Bisou!

C.A.C.A. Comité Anti-Graisse Acharné

Ne me touchez pas, petits cochons!!

Dans quel état vous êtes!!!

Ben... euh...

Y a des affreux voyous...

...Qui nous ont attaqués!

Ils... voulaient avoir... euh... tous tes cadeaux... pour eux...

Pauvres amours!

Ouf!

(254-9)

Sus à Pupuce!

69

(242-6)

71

(24-2-9)

Mon Pupuce adoré!!

WOUF!

Bravo, les enfants! Vous avez réussi à me le ramener!

Ça alors!

Je l'ai fait tondre chez "Toutou Chic"!

...Ça le change, hein?

FIN

SLURP!

L'as du commerce

Ça y est !

On s'est mis d'accord !

Vous embarquez tout ?!

Non !

Seulement le panier !

Les jouets, on les a vidés par terre !

Misère !!

On rangera quand on reviendra...

...Et qu'on sera riches !!

Ce panier de rêve, qui date du roi...Louis 30...

Combien?

30!

Je prends!

Il m'a donné... 30 francs!

Et voilà, on est riches!

T'es génial, Tom-Tom!!

Sacrés veinards!

Allez, va, je t'achète tes cochonneries!

Vrai?!

10 francs le tout! Prix d'ami!

Waouh!

252-5

252-6

80

(252-7)

(252-9)

Zéro cadeau?

Il vous prend pour des millionnaires!

Ben quoi?...

Si ta soeur en demande autant...

On est ruinés jusqu'à la mort!!

Alors, Nana?

Rassurez-vous! Moi, je veux zéro cadeau!

Zéro?!?

Zé-ro??

251-2

86

Les cadeaux de Noël, c'est bon pour les mioches!

Comme Tom-Tom!

??

??

Lui, il s'en fiche de gâcher l'argent!

Ça oui! Il s'en fiche!

Pincez-moi! Je rêve ou quoi?

Pff! Toutes ces babioles minables!

Touche pas!

Ooooh! Elles sont chou!

On n'est pas des enfants gâtés, nous!

Sales pestes!!

CLAP!

251.3

89

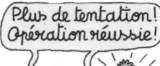

251-7

251-B

92

Tom-Tom et Nana

T'es zinzin
si t'en rates un !

☐ N° 1

☐ N° 2

☐ N° 3

☐ N° 4

☐ N° 5

☐ N° 6

☐ N° 7

☐ N° 8

☐ N° 9

☐ N° 10

☐ N° 11

☐ N° 12

☐ N° 13

☐ N° 14

☐ N° 15

☐ N° 16

☐ N° 17

☐ N° 18

☐ N° 19

☐ N° 20

☐ N° 21

☐ N° 22

☐ N° 23

☐ N° 24

☐ N° 25

☐ N° 26

☐ N° 27

☐ N° 28

☐ N° 29

☐ N° 30

☐ N° 31

☐ N° 32

☐ N° 33

☐ N° 34

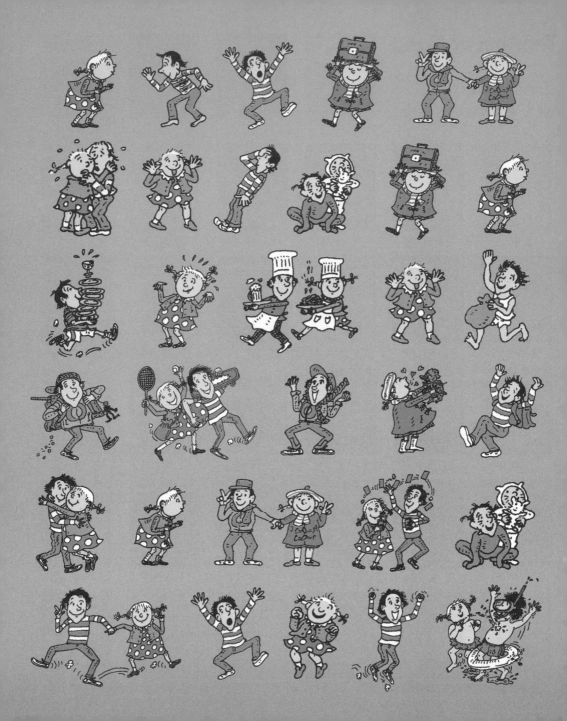